# This book belongs to

by Kristin Yu

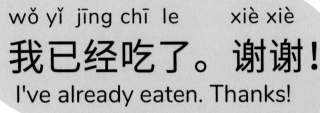

nǐ chī fàn le ma

你吃饭了吗?

Have you eaten?

wǒ yǐ jīng chī le    xiè xiè

我已经吃了。谢谢!

I've already eaten. Thanks!

nǐ chī shén me le

# 你吃什么了？

What did you eat?

wǒ chī le

我吃了_____。

I ate _____.

kě néng shì...

可能是 . . . maybe . . .

hàn bǎo hé shǔ tiáo

汉堡和薯条

mǐ fàn

米饭

miàn tiáo

面条

shòu sī

寿司

bǐ sà

比萨

huǒ guō

火锅

shuǐ jiǎo

水饺

bāo zi

包子

**Burger and Chips**     **Rice**     **Noodles**     **Sushi**

**Pizza**     **Hot Pot**     **Dumplings**     **Buns**

kě néng shì...

# 可能是 . . . maybe. . .

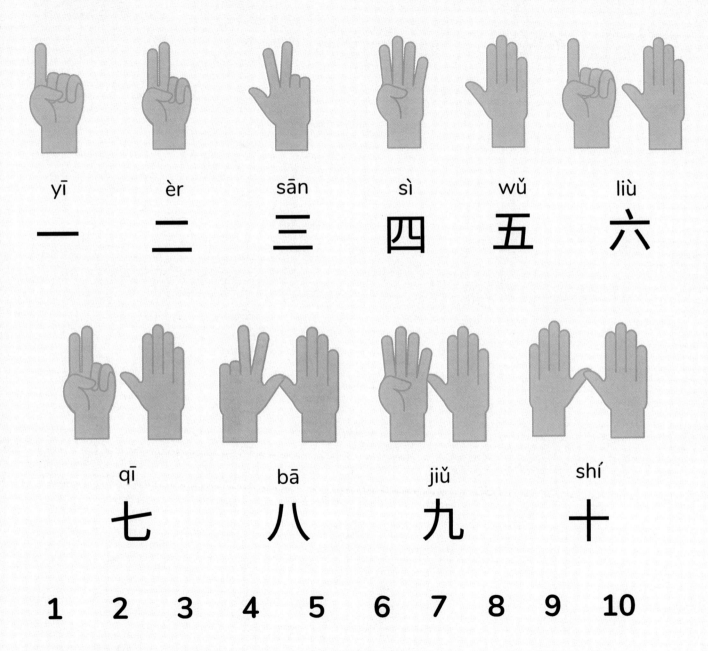

hóng sè

红 色

lán sè

蓝 色

huáng sè

黄 色

lǜ sè

绿 色

fěn hóng sè

粉红色

zǐ sè

紫色

bái sè

白色

hēi sè

黑色

**Red    Blue    Yellow    Green
Pink    Purple    White    Black**

xià wǔ hǎo　　nǐ xiǎng chī shén me shuǐ guǒ

# 下午好，你想吃什么水果？

Good afternoon. What fruits would
you like to eat?

wǒ xiǎng chī

我想吃＿＿＿。

I would like to eat ＿＿＿.

píng guǒ
苹果

jú zi
桔子

pú táo
葡萄

xiāng jiāo
香蕉

táo zi
桃子

máng guǒ
芒果

xī guā
西瓜

cǎo méi
草莓

**Apple   Orange   Grapes   Banana**
**Peach   Mango   Watermelon   Strawberry**

nǐ xǐ huān shén me dòng wù

你喜欢什么动物？

What animals do you like?

wǒ xǐ huān

我喜欢___。

I like _____.

kě néng shì...

可 能 是 . . . maybe. . .

| lǎo hǔ | dà xiàng | tù zǐ | qǐ é |
|---|---|---|---|
| 老虎 | 大象 | 兔子 | 企鹅 |

| xiǎo gǒu | xiǎo māo | xióng māo | cháng jǐng lù |
|---|---|---|---|
| 小狗 | 小猫 | 熊猫 | 长颈鹿 |

**Tiger    Elephant    Rabbit    Penguin**
**Dog    Cat    Panda  Giraffe**

kě néng shì...

# 可 能 是 . . . maybe. . .

mā ma

# 妈妈

bà ba

# 爸爸

ā yí

# 阿姨

shū shu

# 叔叔

yé ye

# 爷爷

nǎi nai

# 奶奶

qí tā péng yǒu

其 他 朋 友

_____  _____

other friends

**Mum   Dad   Aunty   Uncle   Grandpa   Grandma**

wā jué jī
挖掘机

qì chē
汽车

jī mù
积木

qiú
球

máo róng wán jù
毛绒玩具

wán jù wū
玩具屋

wá wa
娃娃

huà huà
画画

Digger　Car　Bricks/Blocks　Ball
Plush toys　Toy house　Doll　Drawing

duǎn qún

短裙

lián yī qún

连衣裙

duǎn kù

短裤

bèi xīn

背心

niú zǎi kù

牛仔裤

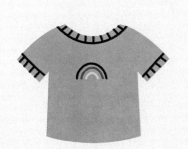

xù

T恤

wài tào

外套

máo yī

毛衣

**Skirt   Dress   Shorts   Singlet**
**Jeans   T-shirt   Jacket   Sweater**

nǐ zhǎng dà xiǎng zuò shén me
**你长大想做什么?**
What do you want to be when you grow up?

wǒ xiǎng dāng
**我想当＿＿＿。**
I want to be＿＿＿＿＿.

kě néng shì...

可能是... maybe...

yī shēng

医生

hù shi

护士

shāng rén

商人

lán qiú yùn dòng yuán

篮球运动员

lǎo shī

老师

Jǐng chá

警察

chú shī

厨师

gōng chéng shī

工程师

Doctor    Nurse    Businessman    Basketball Player
Teacher    Policeman    Chef    Engineer

nǐ xǐ huān shén me yùn dòng ne

# 你喜欢什么运动呢？

What sport do you like?

wǒ xǐ huān

# 我喜欢___。

I like _____.

kě néng shì...

可能是 . . . maybe. . .

| pǎo bù | qí zì xíng chē | zú qiú | lán qiú |
|---|---|---|---|
| 跑步 | 骑自行车 | 足球 | 篮球 |

| yóu yǒng | liū bīng | tǐ cāo | bàng qiú |
|---|---|---|---|
| 游泳 | 溜冰 | 体操 | 棒球 |

Running    Cycling    Soccer    Basketball
Swimming    Skating    Gymnastics    Baseball

kě néng shì...

可能是. . . maybe. . .

kāi xīn

开心

jīng yà

惊讶

xīng fèn

兴奋

kùn le

困了

shēng bìng

生病

dān xīn

担心

shēng qì

生气

shāng xīn

伤心

Happy  Surprised  Excited  Sleepy
Sick  Worried  Angry  Sad

qīn ài de    jīn tiān tiān qì zěn yàng  yào chū qù ma
**亲爱的，今天天气怎样？要出去吗？**

Darling, how is the weather today?
Do you want to go out?

yào chū qù
**要出去！**
Yes, go out!

jīn tiān shì
**今天是＿＿＿。**

It is a ＿＿＿ day.

kě néng shì...

# 可 能 是．．． maybe．．．

qíng tiān

## 晴天

xià yǔ

## 下雨

duō yún

## 多云

guā fēng

## 刮风

shǎn diàn

## 闪电

xià xuě

## 下雪

**Sunny    Raining    Cloudy**
**Windy    Lightning    Snowing**

kě néng shì...

可能是... maybe...

yuǎn zú

远足

dēng shān

登山

shā tān

沙滩

yóu lè chǎng

游乐场

yě cān

野餐

yóu lǎn

游览

**Hiking    Mountain climbing    Beach**
**Playground         Picnic        Sightseeing**

Thank you for purchasing and reading the book. I am grateful and hope you enjoy it. Please consider sharing it with your friends or family and leaving a review online.
Your feedback and support are always appreciated. It allows me to continue doing what I love and providing more bilingual resources for children.

Please follow my book journey @mandarinprodigies

*Kristin Yu*

Kristin is a native Chinese speaker living in Melbourne, Australia. She is an author of bilingual children's books. Kristin loves to create Chinese resources for children to learn in a fun and engaging way. She is also a mum to three children.

Made in the USA
Las Vegas, NV
27 September 2023